Os Três Porquinhos
CB043400

ERA UMA VEZ UMA FAMÍLIA DE PORQUINHOS, DONA PORCA E SEUS TRÊS FILHOS: HEITOR, CÍCERO E PRÁTICO.

HEITOR E CÍCERO ERAM MUITO PREGUIÇOSOS, SÓ PENSAVAM EM DESCANSAR E FUGIAM DOS AFAZERES DA CASA, ENQUANTO PRÁTICO E A MÃE TRABALHAVAM MUITO PARA MANTER TUDO EM ORDEM.

DONA PORCA ESTAVA MUITO PREOCUPADA COM A FALTA DE RESPONSABILIDADE DOS FILHOS. ENTÃO, TOMOU UMA DECISÃO IMPORTANTE E CHAMOU OS TRÊS:

— QUERIDOS, JÁ ESTÁ NA HORA DE VOCÊS APRENDEREM A IMPORTÂNCIA DO ESFORÇO E A SOBREVIVER SOZINHOS. ASSIM, CADA UM DEVE IR E CONSTRUIR SUA PRÓPRIA CASA PARA VIVER. USEM UM MATERIAL RESISTENTE, SENÃO VÃO VIRAR COMIDA DE LOBO. CUIDEM-SE!

OS TRÊS FIZERAM SUAS TROUXINHAS E SAÍRAM EM DIREÇÃO À FLORESTA. ENCONTRARAM UM BOM LUGAR PARA CONSTRUÍREM SUAS CASAS PERTO UNS DOS OUTROS E DEPOIS SE SEPARARAM PARA PROCURAR O MATERIAL.

CÍCERO VOLTOU RÁPIDO. ELE TROUXE PALHA E CONSTRUIU SUA CASA VELOZMENTE. EM POUCOS INSTANTES, SUA MORADIA ESTAVA PRONTA E ELE SE DEITOU EMBAIXO DE UMA ÁRVORE PARA ESPERAR OS IRMÃOS.

QUANDO PRÁTICO VIU A CASINHA DO IRMÃO, COMENTOU:

— ESTÁ MUITO FRÁGIL, O LOBO VAI INVADIR A SUA CASA COM MUITA FACILIDADE.

AO QUE ELE RESPONDEU:

— LOBO? NUNCA VI LOBO POR AQUI. AGORA, VOU TIRAR UMA SONECA! DÁ MUITO TRABALHO CONSTRUIR UMA CASA...

HEITOR LEVOU MAIS TEMPO DO QUE CÍCERO NA OBRA. ELE PREFERIU CONSTRUIR SUA CASA COM MADEIRA, QUE ERA MAIS RESISTENTE DO QUE PALHA E NÃO TORNAVA A TAREFA MUITO TRABALHOSA.

ELE MARTELOU AS TÁBUAS DE QUALQUER JEITO E, NUM PISCAR DE OLHOS, TERMINOU SUA CASA. ENTÃO, FOI CORRENDO BRINCAR COM SEU IRMÃO CÍCERO.

PRÁTICO TAMBÉM NÃO APROVOU O MATERIAL USADO POR HEITOR E INSISTIU QUE FIZESSEM CASAS MAIS RESISTENTES:

— SERÁ QUE VOCÊS NÃO PENSAM NAS CONSEQUÊNCIAS? ESSAS CASAS PODEM SER DERRUBADAS COM FACILIDADE.

— VOCÊ É MUITO MEDROSO, PRÁTICO! QUEM TEM MEDO DE LOBO? — RESPONDEU HEITOR.

E SAÍRAM PULANDO E CANTANDO PELA FLORESTA, SEM SE PREOCUPAR COM MAIS NADA.

PRÁTICO NEM LIGOU PARA AS ZOMBARIAS DOS IRMÃOS E RESOLVEU CONSTRUIR SUA CASINHA COM TIJOLOS E CIMENTO.

A OBRA FOI BASTANTE TRABALHOSA E EXIGIU MUITO DE PRÁTICO. ELE TRABALHOU UM DIA INTEIRO. MAS, QUANDO FICOU PRONTA, A CASA ERA LINDA E RESISTENTE.

NA PRIMEIRA SEMANA, TUDO CORREU NORMALMENTE, PORÉM A NOTÍCIA DE QUE OS PORQUINHOS VIVIAM SOZINHOS SE ESPALHOU LOGO PELA FLORESTA. O LOBO RESOLVEU IR ATÉ LÁ PARA VER SE ISSO ERA VERDADE.

AO SE APROXIMAR, VIU AS TRÊS CASINHAS DOS PORQUINHOS. PRIMEIRO, FOI À CASA DE CÍCERO.

QUANDO VIU QUE A CASINHA ERA DE PALHA, PENSOU:

— ESTE PORQUINHO ESTÁ NO PAPO, UMA CASA DE PALHA EU DERRUBO NUM MINUTO.

MAS, PARA POUPAR SEU TRABALHO, BATEU NA PORTA E AMEAÇOU:

— OI, PORQUINHO! ABRA ESTA PORTA. ESTOU AQUI PARA VISITAR VOCÊ!

CÍCERO ESTAVA ASSUSTADO. ELE SABIA QUE O VERDADEIRO DESEJO DO LOBO MALVADO ERA DEVORÁ-LO. ENTÃO, TOMOU CORAGEM E DISSE:

— VÁ EMBORA, SEU LOBO CRUEL, AQUI VOCÊ NÃO VAI ENTRAR!

— AH, É, PORQUINHO? POIS VOU SOPRAR E BUFAR, E A SUA CASA VOU DERRUBAR!

ENTÃO, O LOBO ESTUFOU O PEITO, ENCHEU OS PULMÕES DE AR, SOPROU E A CASA DESMORONOU! SÓ RESTOU A CÍCERO CORRER PARA A CASINHA DE HEITOR.

O LOBO PERSEGUIU O PORQUINHO, MAS A PORTA DA CASA DE MADEIRA FOI FECHADA ANTES QUE ELE CHEGASSE. O VILÃO ENTÃO BATEU NA PORTA E DISSE:

— VAMOS POUPAR TRABALHO! ABRAM LOGO ESTA PORTA. QUERO ENTRAR E LANCHAR DOIS PORCOS DE UMA VEZ!

— VÁ EMBORA, SEU LOBO BOBO! DESTA PORTA FIRME DE MADEIRA, VOCÊ NÃO PASSA! — GRITARAM CÍCERO E HEITOR.

— AH, É, PORQUINHOS? POIS VOU SOPRAR E BUFAR, E A SUA CASA VOU DERRUBAR!

E O LOBO ESTUFOU O PEITO, ENCHEU OS PULMÕES, SOPROU E A CASA MALCONSTRUÍDA DESMORONOU.

CÍCERO E HEITOR, QUE CORRIAM MUITO RÁPIDO, FORAM DESESPERADOS PARA A CASA DE PRÁTICO.

NOVAMENTE, ELES CHEGARAM ANTES DO LOBO E FECHARAM A PORTA. ELE FICOU SURPRESO, POIS A CASA ERA FEITA DE TIJOLOS. ENTÃO, BATEU NA PORTA E GRITOU:

— ABRAM A PORTA!

— AQUI VOCÊ NÃO ENTRA! — AFIRMOU PRÁTICO. — ESTA CASA FOI FEITA COM MATERIAL MUITO RESISTENTE.

— AH, É, PORQUINHOS? POIS VOU SOPRAR E BUFAR, E A SUA CASA VOU DERRUBAR!

E O LOBO ESTUFOU O PEITO, ENCHEU OS PULMÕES, SOPROU E... NADA. A CASA NÃO SE MEXEU NEM UM POUQUINHO.

OS PORQUINHOS COMEMORARAM ANIMADOS ENQUANTO O LOBO TENTAVA DERRUBAR A CASA, SEM CONSEGUIR. PRÁTICO, MUITO ESPERTO, LOGO ALERTOU:

— OS LOBOS NÃO DESISTEM TÃO FACILMENTE, VAMOS FICAR DE OLHO.

QUANDO OLHARAM PELA JANELA, VIRAM O LOBO COM UMA ESCADA, QUE ELE USOU PARA ENTRAR PELA CHAMINÉ DA CASA.

OS IRMÃOS ATEARAM FOGO NA LAREIRA. ASSIM QUE DESCEU PELA CHAMINÉ E A SUA CAUDA TOCOU NAS CHAMAS, O LOBO IMEDIATAMENTE GRITOU E SAIU EM DISPARADA. DIZEM QUE ELE CONTINUA CORRENDO APAVORADO ATÉ HOJE!

DESDE ENTÃO, NUNCA MAIS O LOBO VOLTOU. CÍCERO E HEITOR APRENDERAM A LIÇÃO E TAMBÉM CONSTRUÍRAM SUAS CASAS COM TIJOLOS, AJUDADOS POR PRÁTICO, QUE NÃO GUARDOU RANCOR DOS IRMÃOS.

E A MAMÃE PORCA VEIO MORAR PERTO DELES, POIS SABIA QUE SEUS FILHOS TINHAM CRIADO JUÍZO E AGORA AGIAM COMO UMA FAMÍLIA.